LAS PUERTITAS
DEL SEÑOR LÓPEZ

Trillo, Carlos
    Las puertitas del señor López / Carlos Trillo y Horacio Altuna.
    1a ed. - Ciudad Autónoma de Buenos Aires: Galerna, 2015.
    200 p. ; 28x22 cm.

    ISBN 978-950-556-633-4

    1. Historieta Argentina. I. Altuna, Horacio
    CDD 863.022 2

Tirada de esta edición: 2000 ejemplares

Diseño de tapa y diagramación de interior: Margarita Monjardín

BIBLIOTECA ALTUNA

LAS PUERTITAS DEL SEÑOR LÓPEZ

Carlos Trillo
Horacio Altuna

galerna

Prólogo
Por *Hernán Casciari*

Entre mis doce y mis quince años en casa todos creían que me encerraba en el baño con intenciones onanistas, pero en realidad buscaba silencio para leer durante horas. Odiaba los golpes invasivos en la puerta —«Hernán, ¿te pasa algo?»—y me juraba que, cuando fuese grande y viviera solo, en mi baño no habría cestos de la ropa, ni medicamentos ni jabones. En mi baño habría anaqueles con libros, revistas e historietas, desde el suelo hasta el techo. Borroneaba en los cuadernos esa arquitectura: eran planos toscos de baños enormes, en donde era posible cagar y leer sin que nadie molestara nunca.

En esos tiempos conocí *Las puertitas*. Y el señor López fue la confirmación de aquellos bosquejos. Él lograba escapar del mundo por una puerta y convivir, del otro lado, con sus magias privadas. Devoraba cada una de sus historias de cinco páginas. Sin embargo nunca le di a esas lecturas un enfoque metafórico sobre la persecusión ideológica, porque en los primeros años ochenta yo era todavía un adolescente ingenuo. Pero ya sospechaba que para soñar había que encerrarse. Y López me hizo entender, en todo caso, que no éramos pocos los que necesitábamos trabar la puerta para fantasear.

Después pasó mucho tiempo, cambió el siglo y conocí a Altuna en persona. La primera vez que fui a su casa en Sitges no, porque me dio timidez, pero la segunda ya éramos un poco más amigos y le pedí ir al baño. Me señaló la dirección sin levantarse de la silla. Caminé por el pasillo y entré al lugar más privado de su casa. Fue tremendo lo que pasó del otro lado de la puerta: ese baño era el holograma de mis planos adoescentes. Nunca había visto (ni veré) tantos libros en un baño: había estantes, separados por temas y por épocas. Había revistas de culto, todas numeradas; volúmenes preciosos al alcance de la mano, entre las toallas y las lociones; historias reales y de ficción por delante y por detrás del inodoro. *Si existiera un paraíso para el descompuesto del estómago*, pensé, *sería el baño de Altuna*. No sé cuánto estuve ahí encerrado, pero fue más tiempo del que un huésped debe quedarse solo en habitación ajena. Cuando escuché los golpecitos en la puerta (había preocupado a mi anfitrión, que me llamaba) creí escuchar con nitidez: «¿Estás bien, López?». «¿López, te pasa algo?».

Qué pequeñita, encorbatada y triste sería nuestra vida, si no pudiésemos encerrarnos, cada dos por tres, en un libro o en un baño.

julio de 2015

LAS PUERTITAS DEL SEÑOR LOPEZ

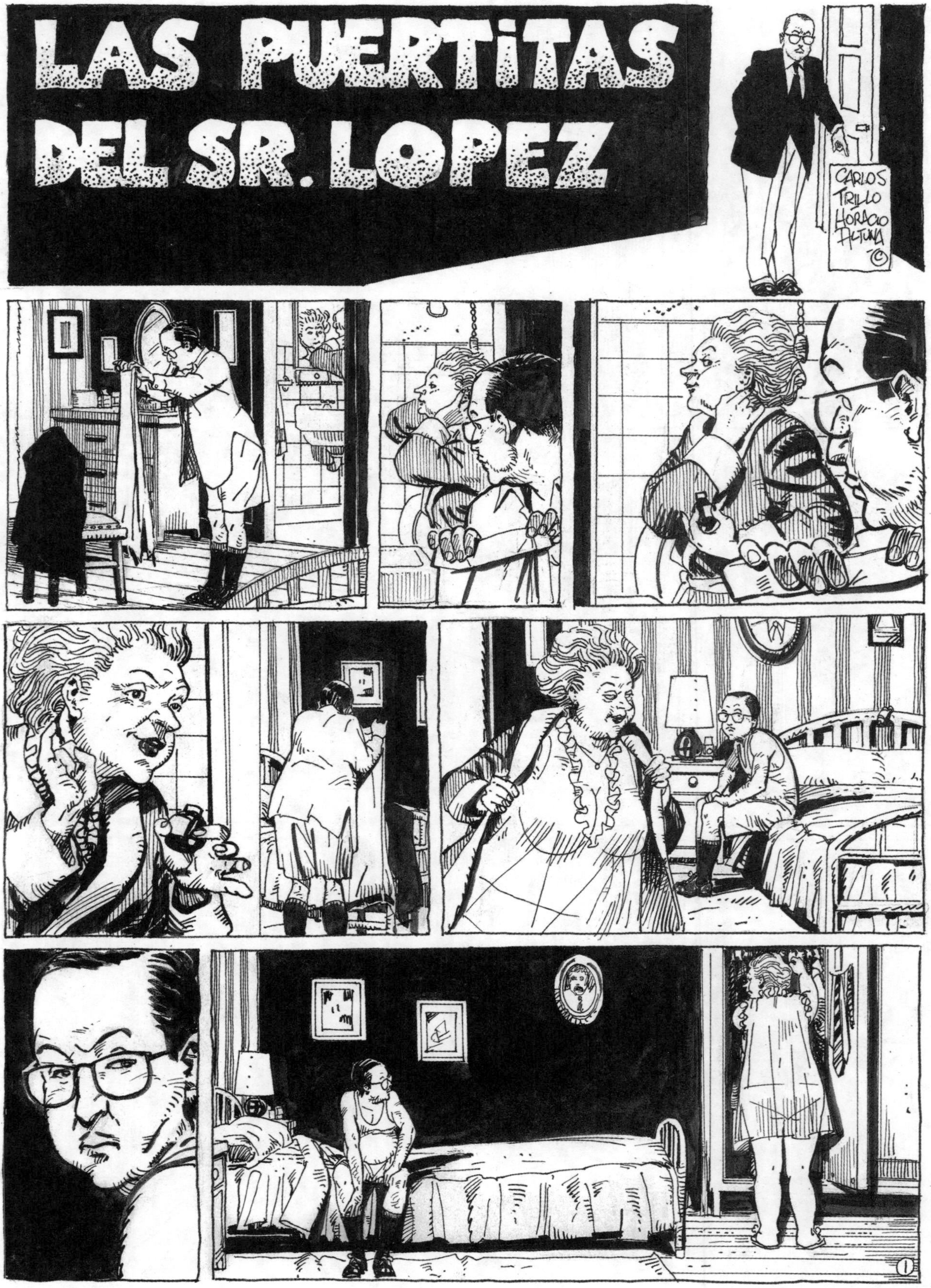
LAS PUERTITAS
DEL SR. LOPEZ
CARLOS TRILLO HORACIO ALTUNA ©
1

LAS PUERTITAS DEL SEÑOR LOPEZ

LO QUE PASA ES QUE NO TENEMOS FACILIDADES.

¡ESO! LAS CONDICIONES PARA LA CREACION SON PESIMAS.

A LOS ARTISTAS NO NOS PAGAN BIEN.

...PORQUE NO NOS COMPRENDEN...

¿Y SI HICIERAMOS UN MANIFIESTO?

¿COMO LO LLAMARIAMOS?

"LA LIBERTAD DE CREACION Y LA GUITA".

NO. SUENA MUY PROSAICO.

SE PODRIA TITULAR "EL ARTISTA MERCENARIO CONTRA EL ARTISTA LIBRE"

NO. ES MUY PANFLETARIO

¿ENTONCES?

①

21

24

¡"LA SOCIEDAD DE CONSUMO CONTRA LA LIBERTAD DE CREACION"!

ESE ESTA BIEN...

SI.

AJA.

...Y UD. ¿LE GUSTA?

Y...

CARLOS TRILLO
HORACIO ALTUNA ©

25

LAS PUERTITAS DEL SR. LOPEZ

¡PRRRR!

LAS PUERTITAS DEL SR. LOPEZ

32

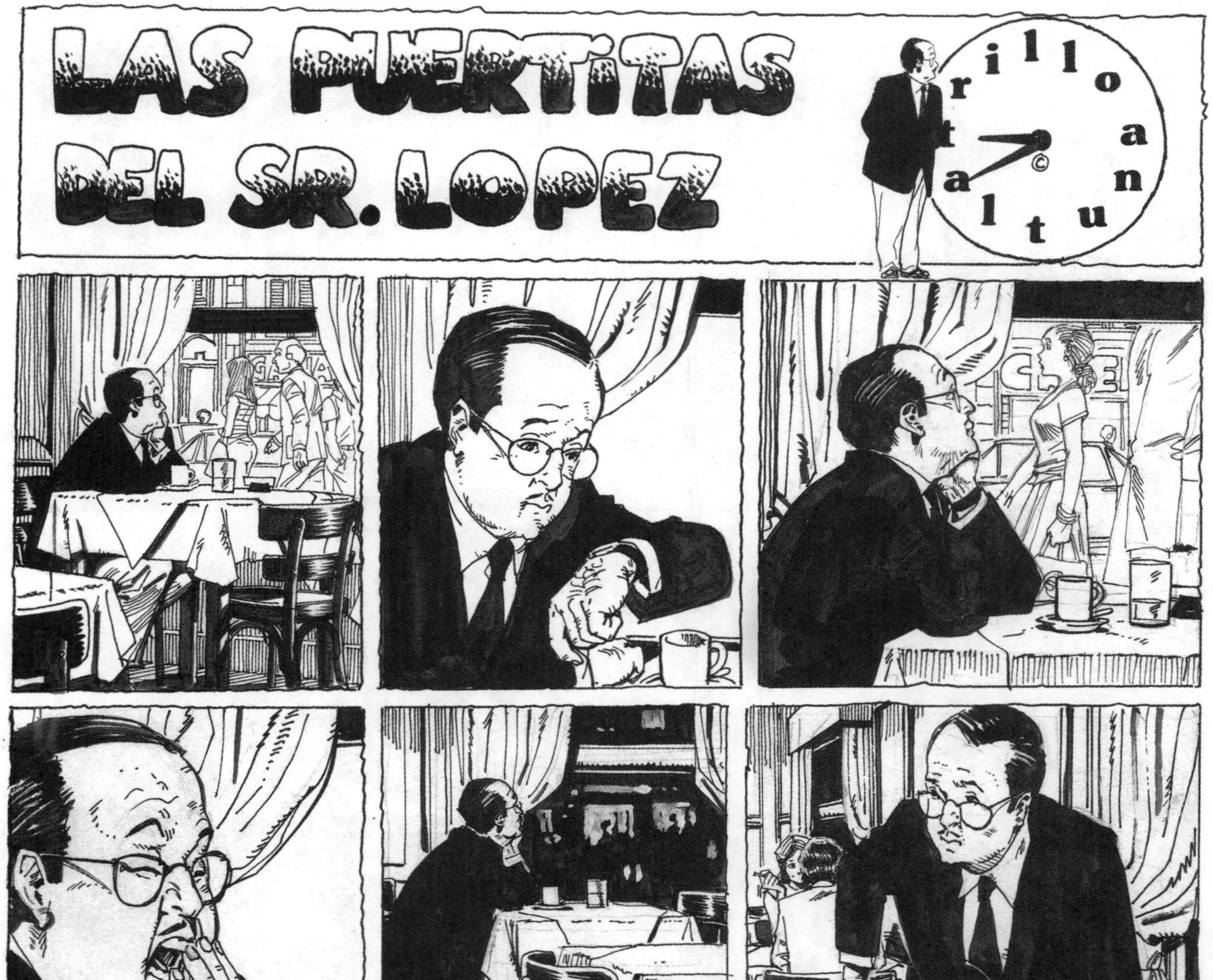
LAS PUERTITAS
DEL SR. LOPEZ

HOLA

¿QUE BUSCA?

ME PERDI. NO ENCUENTRO LA SALIDA.

¿EN QUE AÑO ESTABA?

EN 1980.

BUENO. VOY A PONER A FUNCIONAR EL TIEMPO OTRA VEZ...

...CUANDO PASE EL '80, TOMELO...

PRRR PRRR PRRR

TIC TAC TIC TAC TAC

¡EH, SEÑOR!
¡SE PASÓ! ¡ES-
TA YA EN EL DOS
MIL Y PICO!

¡UH!
¿Y AHORA
QUE HA-
GO?

...Y,...
¡CORRA-
LO!

UF...

POF,...
PUF,...

¡POUUUF!...
POR ACA...
ES EL OCHEN-
TA...,

LAS PUERTITAS DEL SR. LOPEZ

CARLOS TRILLO HORACIO ALTUNA

LOPEZ...

TE ESTABA ESPERANDO..

MARCIA...

LOP...

50

LAS PUERTITAS DEL SR. LOPEZ

PAPA, NO SON MALOS, ESTE POETA...

A MI NO ME DISCUTE NADIE...

YO SOY EL QUE DICE LO QUE ESTA BIEN Y LO QUE ESTA MAL...

VAYA Y SE ME QUEDA ENCERRADO EN SU PIEZA. DEBE HABER ALGO LINDO PARA QUE VEAS POR TELEVISION...

PERMISO, ¿PUEDO PASAR AL TOILETTE?

OIGA ¿QUE PASA ACA QUE TODOS...?

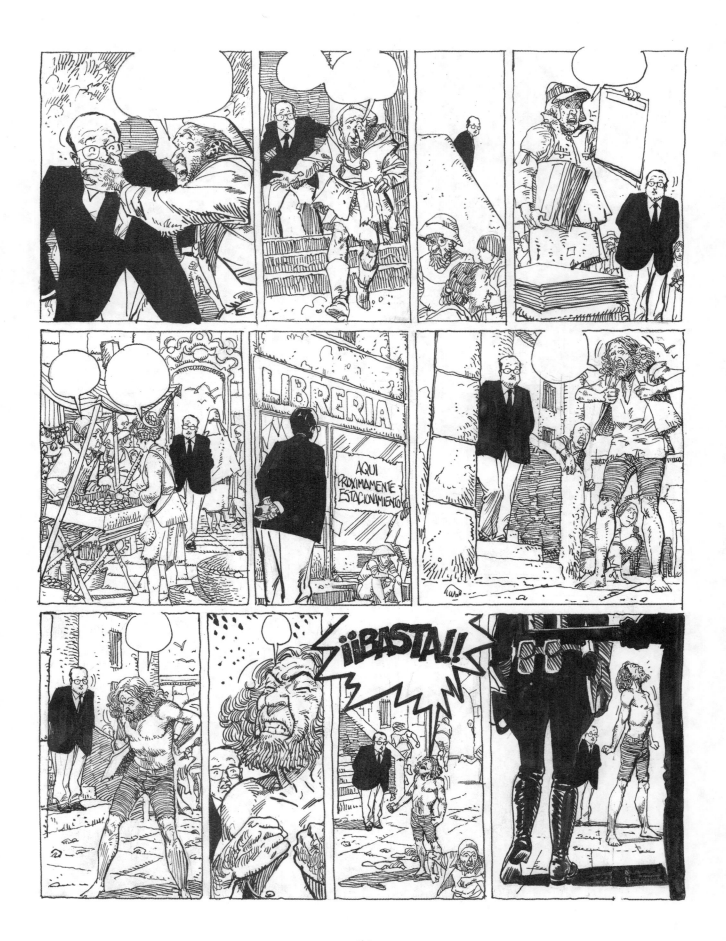

LAS PUERTITAS DEL SR. LOPEZ

PARA ANGELICA GORODISCHER QUE NOS "INSPIRO"

SR. LOPEZ, PASE, POR FAVOR

S-SI

ADELANTE

DESVISTASE Y PONGASE EL DELANTAL.

S-SI

TENDRIA QUE HABER VENIDO ANTES A HACERSE LAS RADIOGRAFIAS, PERO ES UN CABEZA DURA.

HACE RATO QUE TIENE ESOS DOLORES DE ESTOMAGO, PERO EL LE TIENE MIEDO A LOS MEDICOS. ADEMAS ES UN HIPO...

¿HIPOCONDRIACO?

SI, ESO

¿P-PUEDO P-PASAR AL TOILETTE?

SI, POR AHI

TOILETTE

64

LAS PUERTITAS DEL SR. LOPEZ

LAS PUERTITAS DEL SR. LOPEZ

75

ESTA NOCHE TU MUJER SE VUELVE A GONZALEZ CATAN. CONTEMOSLE TODO LO NUESTRO Y QUE SE VAYA

TE HAS SALIDO CON LA TUYA, FERRARI. TE VENDERE MI BAR Y VOLVERE A GERLI, CON LOPEZ

TOME, LOPEZ, LOS DOCUMENTOS...

GRACIAS

¿YA HA-BLASTE CON TU MUJER?

EH,... BUENO,... ESTE...

N-NO, NO HABLE. ¿Y... Y SI LO DEJA-MOS PARA OTRO MOMENTO?

x

78

TE ESTABA DICIENDO QUE... ME ACORDABA MUCHO DE VOS, LOPEZ

ESTEE...

¿M-ME PERDONAS?...ESTE...SE ME HACE TARDE...

BUENO... JE,JE,... EH...ADIOS, ENTONCES...

CHAU.

HO-HOLA, QUERIDA...

¡AH,LLEGASTE! ¡MIRA LA HORA QUE ES!¡SEGURO QUE ANDUVISTE PAVEANDO POR AHI!

LAS PUERTITAS DEL SR. LOPEZ

84

LAS PUERTITAS DEL SR. LOPEZ

¿ASI QUE SE VA EL JEFE?

SÍ. ME DIJERON QUE EL QUE VENÍA ERA TRONCONI

AH, YO LO CONOZCO

ES UNO PETISO...

¡UH, ESE ES UN PERRO!

NUNCA VA A SER PEOR QUE EL QUE TENEMOS AHORA.

¿AH, NO? ¡YA VAN A VER!

¡¡GUARDA QUE AHÍ VIENE!!

¡EJEM!

HOMBRES

HOMBRES

HO

90

LAS PUERTITAS
DEL SR. LOPEZ

OIGAME, LÓPEZ, ESTOS EXPE-
DIENTES SON MUY URGENTES,
ASI QUE TENGAMELOS PARA
LAS SIETE, ¿OYÓ?

S-SI...

¿VISTE QUE AUMENTARON
TODAS LAS TARIFAS OTRA VEZ,
Y A NOSOTROS NO NOS AU-
MENTARON NI UN MANGO?

¡NOS VAMOS TO-
DOS A LOS
CAÑOS!

CHE,
LOPEZ...

¿ASI QUE INVENTARON LA
BOMBA NEUTRÓNICA, QUE LIQUI-
DA A LA GENTE
SIN ROMPER
NADA?

¡QUÉ BARBARO!
¡MIRÁ SI LA TIRAN
ACÁ!... QUE DESAS-
TRE, ¿NO?

¡YO ESPERANDO
AFUERA Y VOS TODA-
VIA ACÁ, PAVEAN-
DO!

¡SEGURO QUE ES-
TÁS HACIENDO TIEM-
PO PARA NO VENIR A
LO DE LOS ORDOÑEZ!

YO SÉ
QUE TE CAEN
PESADOS, PERO
SON SIMPÁTICOS Y
MUY CULTOS,
¿SABES?

93

LAS PUERTITAS DEL SR. LOPEZ

CARLOS TRILLO HORACIO ALTUNA ©

...¿Y EL DE BLANCANIEVES Y EL ENANITO DESNUDO, LO SABEN?

NO, DALE...

SI, CONTALO...

EJEM...

¡GUARDA! ¡AHÍ VIENE EL JEFE!

¡UY, A LABURAR!

MIRA, CHE, LAS PELÍCULAS QUE NO SE PUEDEN VER POR LA CENSURA...

..."CASANOVA", DE FELLINI; "LA LUNA", DE BERTOLUCCI; "REGRESO A CASA" DE ASHBY, "NORMA RAE", DE MARTIN RITT, "HAIR", DE MILOS FORMAN; EL

¡LLEGASTE! ¡QUISIERA SABER QUÉ PAVADAS ANDARÁS PENSANDO, QUE TE DISTRAEN Y TE HACEN LLEGAR A ESTA HORA!

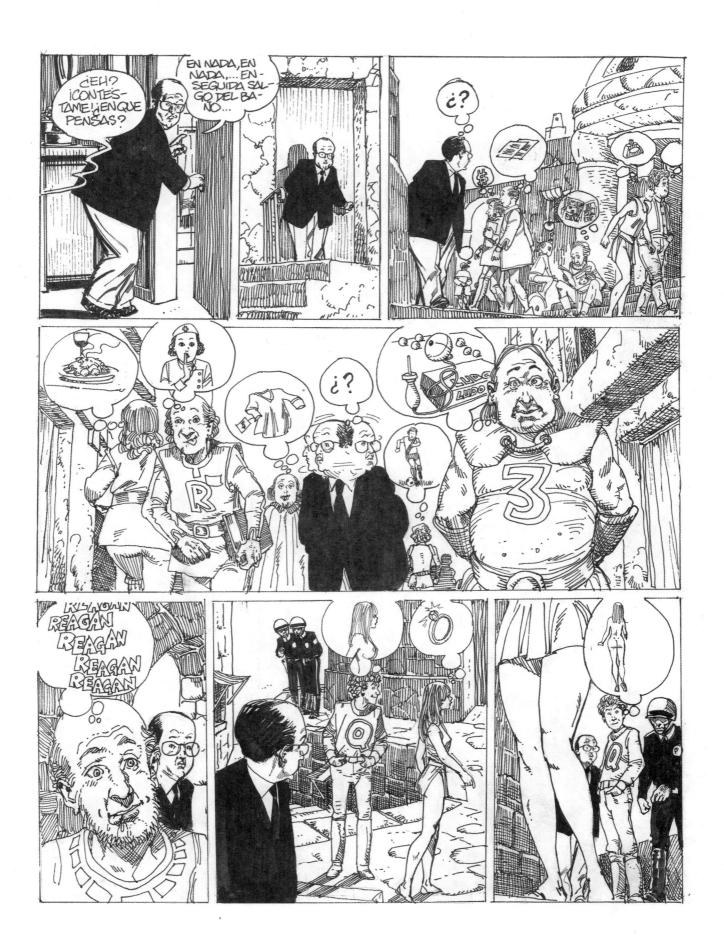

99

LAS PUERTITAS DEL SR. LOPEZ

EL TELEFONO DE CASA NO ANDA, EN LA ESQUINA HAY UN BACHE, EL SEMAFORO NO FUNCIONA, EN VERANO NO HAY AGUA, EN INVIERNO NO HAY GAS, NO PASA EL BASURERO, NO ARREGLAN LA VEREDA QUE ROMPIERON PARA CAMBIAR UN CAÑO, EL CAÑO NUEVO ESTA ROTO...

ME VOY A QUEJAR.

EDIFICIO PUBLICO

VENGO A QUEJARME...

VAYA AL ENTREPISO A SACAR NUMERO. DESPUES VUELVA...

USTED PIDIO ROJO, TIENE QUE SACAR NUMERO VERDE

AH...

Corpiños

TIENE QUE LLENAR ESTE FORMULARIO POR TRIPLICADO

CARBONICO NO TENGO.

AHORA VAYA AL QUINTO PISO, PI-DA UNA PLANILLA PARA RECLAMOS, DESPUES HAGA LA COLA DEL OC-TAVO PARA QUE...

...SE LA SE-LLEN, VAYA AL BANCO, QUE ES-TA A SEIS CUA-DRAS, Y PIDA UNA ESTAMPI-LLA FISCAL DE VEINTE...

...Y CON LOS FORMULARIOS, CON LAS ESTAMPILLAS PUES-TAS Y LOS RECIBOS DE LOS SERVICIOS AL DIA, VUELVA.

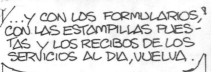

GRACIAS, ULRICO...

ERES MUY BUENO

LA GENTE DEL PUEBLO DICE QUE TE COMES A LOS NIÑOS, QUE TIENES TRATOS CON EL DEMONIO. CUANDO LES CUENTE QUE ME AYUDASTE, NO ME VAN A CREER.

SEÑOR ¿ME PODRIA ACOMPAÑAR HASTA LA ALDEA, POR SI TENGO OTRO DESMAYO?

SI, COMO NO...

¡SOLDA! ¡TEMIAMOS QUE TE HUBIERA PASADO ALGO!

¡QUE TE HUBIERA AGARRADO ULRICO, EL DEMONIO DEL BOSQUE!

¡NOO! ¡ULRICO ES UN SER MARAVILLOSO!

TUVE UN DESMAYO Y QUEDE EXANIME EN EL BOSQUE A MERCED DE LAS BESTIAS DEL LUGAR. PERO ULRICO PUSO AGUA FRESCA EN MIS SIENES...

...Y VELO POR MI HASTA QUE RECOBRE EL CONOCIMIENTO. SI NO HUBIERA SIDO POR SU AYUDA NO ESTARIA AQUI.

¡ULRICO NO ES UN ACOLITO DE SATAN. ME DEMOSTRO QUE ES BUENO. YO LE ESTOY AGRADECIDA.

¡LLEVENSELA!

¡VAMOS!

¿COMO?

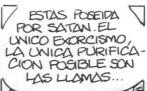

ESTAS POSEIDA POR SATAN. EL UNICO EXORCISMO, LA UNICA PURIFICACION POSIBLE SON LAS LLAMAS...

...¡LA HOGUERA!...

¡NO!

¡NOO!

LAS PUERTITAS DEL SR. LOPEZ

...Y ESTA PROGRAMADA PARA HACER EL TRABAJO DIARIO DE QUINCE EMPLEADOS CALIFICADOS, EN POCOS MINUTOS...

...LO QUE PUEDE SIGNIFICAR PARA LA EMPRESA UN AHORRO IMPORTANTISIMO EN TIEMPO Y PERSONAL...

...ALMACENA CUATRO MILLONES DE DATOS Y TIENE MULTIPLE MEMORIA...

...Y... DE ACA, VAMOS A RAJAR UNOS CUANTOS...

¿QUE TE PARECE?

¿A QUIEN LE TOCARA?

...EMPEZARAN POR LOS MENOS EFICIENTES...

...O LOS MAS VIEJOS...

114

LAS PUERTITAS DEL SR. LOPEZ

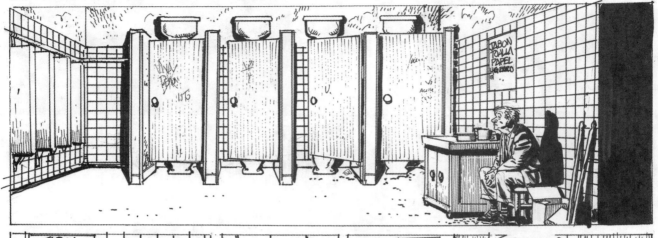

PAPEL HIGIENICO, POR FAVOR...

VAYA AL TERCERO QUE ANDA LA CADENA

¡PRRR...!
¡PRRRRRRR...!

120

LAS PUERTITAS DEL SR. LOPEZ

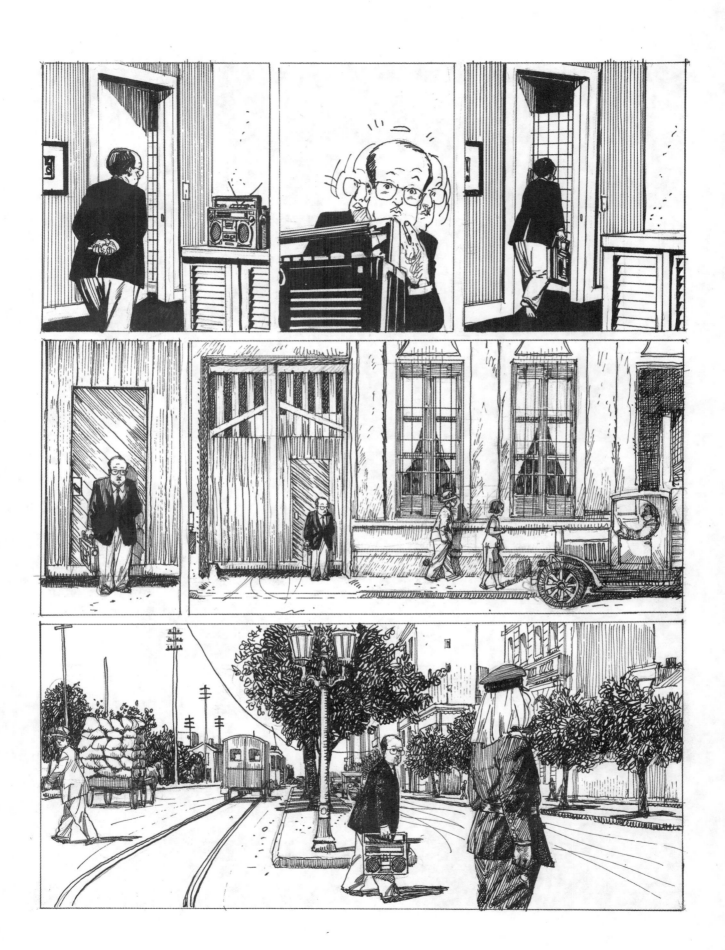

CHE, BARTOLO, OIIIIII... LOS ACORDES MELODIO-SOS QUE TE TRAE ESTA CARCIOOON...

...CUANDO ESTEN SECAS LAS PILAS DE TODOS LOS TIMBRES, QUE VAS A APRE-TAR, TE ACORDARAS DE ESTE OTARIO...

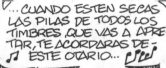

...SI SUPIEERAS, QUE AUN DENTRO DE MI ARMA, CON-SERVO AQUEL CA-RIÑO...

...DE AQUELLA COQUETA Y BURLONA MUJER, QUE AL JURAR SONRIENDO EL AMOR QUE ESTA MINTIENDO, QUEMA EN UNA HOGUERA TODO SU QUERER...

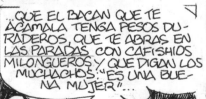

...QUE EL BACAN QUE TE ACAMALA TENGA PESOS DU-RADEROS, QUE TE ABRAS EN LAS PARADAS CON CAFISHIOS MILONGUEROS Y QUE DIGAN LOS MUCHACHOS: "ES UNA BUE-NA MUJER"...

¡ESTO ES BARBARO! ¡DES-CUBRI ALGO SENSA-CIONAL! ¡GENIAL!

LAS PUERTITAS DEL SR. LOPEZ

LAS PUERTITAS DEL SR. LOPEZ

CARLOS TRILLO

UNA FLOR PARA OTRA FLOR, SUSY...

AH, MUY AMABLE...

¡ESTE, CON LA GUITA QUE TIENE Y ME VIENE CON FLORCITAS!

CHE, FLACA, PAGA VOS LA NAFTA. A VER SI ENCIMA QUE TE LLEVO ME VAS A HACER GASTAR A MI, ¿EH?

¡PIJOTERO!

MIRA LOPEZ, MIRA LA TELE...

...Y ACA TENEMOS AL FELIZ MARIDO DE KATIA LABOMBA, QUE ACABA DE HACERSE UNA...

...CIRUJIA PLASTICA DE BUSTO.

¿ESTAS CONTENTO, CACHO?

SI. ¡AHORA LA QUIERO MAS!

132

133

135

LAS PUERTITAS DEL SR. LOPEZ
CARLOS TRILLO
HORACIO
¡!
EL LICENCIADO PEREZ, DUEÑO DE "PEREZ INC." COMPRO UNA ISLA EN EL PACIFICO
BAR
BAN

VENGA...

JUEZ →

A UD. NUNCA LO DETU-VIERON ANTES. POR ESO, Y POR ÚNICA VEZ, TIENE EL GRAN BENEFICIO DE LA OPCIÓN...

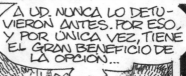

PRESIDENTE VITALICIO

...TIENE DOS PUERTAS PA-RA ELEGIR

...SI OPTA POR ESTA PUERTA TENDRÁ UNA VIDA...DIFÍCIL, POR LLAMARLA DE ALGU-NA MANERA.

LIBERTAD

...EN CAMBIO SI ELIGE ESTA OTRA VA A VI-VIR UNA VIDA SIN SOBRESALTOS...

EL MOLDE

ELIJA, LOPEZ,... EL RESTO DE SU VIDA...

...EN LIBERTAD...

LIBERTAD

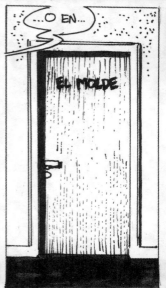

...O EN...

EL MOLDE

149

150

154

155

...ES CUAL FLOR QUE NO ESPARCE SU AROMA, COMO UN LEÑO QUE NO SABE ARDER... ♪ ♪ ♪ ♪

LA PASION TIENE UN MAGICO IDIOMA... ♪ ♪ ♪ ♪

¿...QUE CON BESOS SE DEBE APRENDER...

...PUESTO QUE UNA MU-JER... ♪ ♪ ♪

...QUE NO SABE QUE-RER... ♪

...NO ME-RECE... ♪

...LLAMARSE MUJER... ♪ ♪

UNA MUJER, DEBE SER, SOÑA-DORA, COQUETA Y ARDIENTE, DEBE DARSE AL AMOR... ♪ ♪

♪ CON FRE-NETICO ARDOR PARA SER UNA... ♪

②

LAS PUERTITAS DEL SR. LOPEZ

SOLCAR LLOIRT HOCOORA TUNAAL

centro de
seleccion
de parejas
por
computacion

¡PLINK!

FICHA
LA CIBERNÉTICA
AL SERVICIO DEL
AMOR. NUESTRA
TECNOLOGÍA ES
INFALIBLE. SE-
LECCIONA EN PO-
COS MINUTOS, AL
SER INDICADO PA-
RA COMPARTIR
SU VIDA.
LLENE LA FICHA CON
SUS DATOS PERSONALES
Y RESPONDA AL CUES-
TIONARIO ADJUNT.
POCOS M...

RELAX

MI FICHA
COMPLETA
Y EL PA-
GO, SR....

ESTÁ
BIEN. EN
UNOS MINU-
TOS TENDRÁ
SU PAREJA.

EH... ¿A-ACIER-
TAN SIEMPRE C-CON
LA PAREJA ADE-
CUADA O...?

SIEMPRE.
NUESTRO SIS-
TEMA ES CIEN-
TÍFICO. ABSOLU-
TAMENTE EXAC-
TO, Y GARANTI-
DO, ADEMÁS.

NUNCA HU-
BO QUEJAS NI
DEVOLUCIONES.
TOME ASIENTO Y
ESPERE TRANQUI-
LO, SR. LÓPEZ.

SR. SALDUCCI...

¿SI?

SU PAREJA, VICKY GARCIA, 22 AÑOS, BIO-QUIMICA...

SR. TORRES...

¿SI?

LUISINA VON BERG, 27 AÑOS, PROFESORA DE EDUCACION FISICA...

SR. PLIPI...

¿SI?

MARITA TOLEDO, 26 AÑOS, PSICOLOGA...

¿SR.... LOPEZ?

¿S-SI?

EH... LAMENTABLEMENTE LA COMPUTADORA DEBE HABER ESTADO MAL OPERADA O QUIZA UN ERROR EN SU FICHA. ¿PODRIA HACERLA DE NUEVO?

LISTO

GRACIAS, AHORA SI.

ENSEGUIDA VA ¿EH?

SI, SI...

consola computación

¿Y?

S...SU CASO ES...UN P...POCO COMPLICADO PERO...E...EN CINCO MINUTOS TRAEREMOS A... A SU PAREJA...TOME A...ASIENTO, SR. LO-PEZ, JE...

SR. LOPEZ, AQUI ESTA SU... PAREJA... JE...

164

LAS PUERTITAS DEL SR. LOPEZ

¡CHANTAS!

CARLOS ECACIO ALTUNA

...Y EN MI CARACTER DE MINISTRO DE ECONOMIA ES QUE PIDO A TODA LA POBLACION AUSTERIDAD Y SACRIFICIO...

...Y QUE EVITE TODO GASTO SUPERFLUO, PARA ASI LOGRAR LOS GRANDES OBJETIVOS...

¿ME DA UN PAQUETE DE CARAME...?

DISCULPE, ¿QUE PIDIO, SEÑOR?

NO, NO,... NADA, GRACIAS...

EL MINISTRO INSTO A EVITAR GASTOS SUPERFLUOS

QUE LINDA RADIO...YO NECESITARIA UNA...

...NO ADQUIRIR BIENES SUNTUARIOS, ES ENTONCES, LA CONSIGNA...

...EL SANEAMIENTO DE NUESTRA ECONOMIA, ASI LO RECLAMA...

¡EL CLASICO DEL AÑO!

¡QUE GANAS DE IR A VERLO!...

VEA EL GRAN MAT

LOS ENTRADAS ESTAN EN VENTA EN

PERO...

EL CLASICO DEL AÑO!

AUSTERIDAD SACRIFICIO

MINISTERIO DE ECONOMIA

BAR

166

¡AGA-
CHATE,
IDIOTA!

¡SARGENTO: CON SUS
HOMBRES, LLEVE ESTE
PAQUETE AL CORONEL CLARK,
QUE ESTA DETRAS DE LA
COLINA OESTE!

PERO...

...¡HAY QUE
ATRAVESAR TO-
DA LA ZONA EN
PODER DEL ENE-
MIGO!...

SI. EL
CORONEL
LO PIDIO POR
RADIO ¡ES DE
VITAL IMPOR-
TANCIA!

¡ESTA
BIEN! ¡SI-
GANME, VA-
MOS!

LAS PUERTITAS DEL SR. LOPEZ

UN CAFECITO, POR FAVOR...

EL AUTOR DEL ROBO DEL SIGLO, RONALD BIGGS, FUE RECIBIDO COMO UN HEROE EN RIO

BUENOS AIRES 10

SE CONOCE LA FASTUOSA VIDA QUE LLEVAN DOS "CAPO MAFFIAS"

VIVEN EN IBIZA LOS FINANCISTAS QUE HUYERAN HACE DOS AÑOS

OIGA,....¿NO SABE SI POR ACA ANDA KARAKUL DE MACEDONIA?

ESTA ACA A LA VUELTA, DEFENDIENDO A UNA VIUDA, DE UNA HORDA SALVAJE...

¡TOMA, ESBIRRO DE SATANAS!

¡AAAH!

¡KARAKUL! ¡SALVASTE MI VIDA! ¡LA MITAD DE MIS BIENES SON TUYOS!

GRACIAS, PERO NO ACEPTO. NO QUIERO QUE EL BRILLO DEL ORO ME ENCEGUEZCA...

...ADEMAS, CUALQUIERA HUBIERA HECHO LO MISMO... ADIOS...

KARAKUL...

KARAKUL DE MACEDONIA, MUCHO GUSTO, ME LLAMO LOPEZ...

¿QUE DESEAS, CAMINANTE?

179

¡Y A MI QUE ME IMPORTA SI TE PISE, PEDAZO DE ESTUPIDO! ¡ME TENES PODRIDO!

PERO...

¡A VER SI TE PEGO UNA PIÑA TODAVIA, TARADA!

FLASH GORDON

180

LAS PUERTITAS DEL SR. LOPEZ

¡Y HOY, SIN FALTA, PEDÍS AUMENTO! ¡SI NO, YA VA SA' VER!

¿YA SE COMIÓ TODO LO QUE COMPRÉ ESTA MAÑANA?...

ES POR LA ANGUSTIA, ¿SABE?...YO...

...YO, EN GENERAL, COMO COMO UN PAJARITO, PERO EL ENCIERRO Y TENER QUE SOPORTAR SU MIRADA LASCIVA CLAVADA EN MÍ TODO EL DÍA...

...HACEN QUE TENGA HAMBRE...ADEMÁS, HACE COMO TRES HORAS QUE NO PRUEBO BOCADO. TIENE QUE IR A COMPRARME MÁS COMIDA. ¿O ME QUIERE MATAR DE HAMBRE?

¡PERO, NO TENGO MÁS PLATA! ¡GASTÉ TODO LO QUE TENÍA EN ESTA SEMANA!...

¡TODOS LOS AHORROS DE UNA VIDA SE ME FUERON EN ESTE OPERATIVO!

BUENO, MIRE...ESTO SE ACABÓ. MEJOR VÁYASE. ESTÁ EN LIBERTAD.

¿CÓMO QUE ME VAYA?

¿QUÉ VAN A DECIR MIS AMIGAS? DESPUÉS QUE LOS GRANDES TITULARES DE LOS DIARIOS HABLARON DE MI SECUESTRO, ¿VOY A SALIR SIN QUE PAGUEN UN RESCATE? ¿GRATIS?

¿UD. QUÉ SE CREE?

LO DE LOS TITULARES NO ES CIERTO. APENAS SALIÓ UN RECUADRITO EN LA PÁGINA DE LOS REMATES...

ADEMÁS, LA NOTA LA MANDÉ YO, PORQUE SUS FAMILIARES NO HICIERON LA DENUNCIA.

EL ASUNTO ES QUE SI NO PAGAN POR MÍ, YO NO ME VOY...

ESTEEE...

¿Y SI LE DOY UN CHEQUE MÍO CON FECHA ADELANTADA, DIGAMOS, A TREINTA DÍAS, ASÍ ME DA TIEMPO A JUNTAR UNOS MANGOS?

PODRÍA SER...

...PERO ANTES LLAME A LOS DIARIOS ANUNCIANDO QUE ME SUELTA PORQUE PAGARON UN CUANTIOSO RESCATE POR MÍ. ¿DE ACUERDO?

BUENO, ACÁ TIENE EL CHEQUE...

AHORA, ¿ME DA LA PLATA PARA UN COSPEL, ASÍ PUEDO LLAMAR A LOS DIARIOS?

TOME

GRACIAS.

HASTA LUEGO

CABALLEROS

AH, LÓPEZ,... ¿UD. ME BUSCABA?

EH... SÍ, SEÑOR ANDRÉS...

Y-YO QUERÍA VER SI...SI PODRÍA HA-HABER ALGUNA POSIBILIDAD DE HACER A-ALGÚN AJUSTE EN MIS EMOLUMENTOS...

JUSTAMENTE, LÓPEZ...

...DADO EL MOMENTO DE CRISIS POR EL QUE ESTÁ PASANDO LA EMPRESA HEMOS DECIDIDO HACERLE UNA RETENCIÓN DEL QUINCE POR CIENTO PARA EL FONDO DE RECUPERACIÓN DE NUESTRA FILIAL...

AH, GRACIAS...

LAS PUERTITAS DEL SR. LOPEZ

CARTA DE... ARRIBA, SEÑOR DIRECTOR.

¡UD. ES UN INEFICIENTE! ¡ESTA OPERACION TENDRIA QUE HABER SALIDO HACE DIAS!

GERENTE

SI, SEÑOR DIRECTOR...

¡UD. COMO JEFE DE PERSONAL, ES UN INUTIL! ¡ESA TRANSACCION NO SALIO EN FECHA!

N-NO, SR. GERENTE...

¡UD. ES UN ESTUPIDO! ¡DELE CURSO INMEDIATAMENTE A ESTA OPERACION!

CABALLEROS

187

TURCO

¿?

¡CLICK!

¿QUE HACÉS, ESTÚPIDO? ¡PRENDÉ LA LUZ!

S-SÍ, QUERIDA...

¡CLICK!

Este libro se terminó de imprimir en Amerian S.R.L.
en el mes de agosto de 2015, Ciudad Autónoma de
Buenos Aires, Argentina.
(011) 4815-6031 / 0448
info@ameriangraf.com.ar